毎日かあさん

カニ母編

西原理恵子
Rieko Saibara

もくじ

【装丁】星野ゆきお（VOLARE inc.）
【作画協力】麓愛
【写真】内林克行（毎日新聞出版写真部）
【編集】志摩和生（毎日新聞エコノミスト編集部）

西原理恵子オフィシャルホームページ「鳥頭の城」
http://www.toriatama.net/

ごあいさつ

子供の頃からよくみる夢で
私は深い海の底に上をむいて
沈んでいる。

見上げる海面の光は
やわやわで
私は目をあけたり
とじたり。

いつの頃からかそこにかすかに
波の音がするようになり——
私はますますゆらゆらする。

ある時目をさましてみると
それは私の
二人の小さな子供の
寝息であった。

はじめまして
西原理恵子と申します。
こんな絵で
まさかと
おおもいでしょうが
まんが家です。

家族こうせいは
昼から酒くらって
町内の子供達に
かなりアブナイ大人と
認知されてきた
お父さんと息子、娘。
あと「ちょっと一ヶ月子守りして」と言われ上京。
四年間自分の家に帰してもらえない私の母。

孫はかわいいが体が限界

よろしくお願いします。

しるがでた

全国一千万人の虫ギライの方々へ。

ねる前によんでね。

私の家のお気に入りの木に緑色のーー

うじゃうじゃ うじゃうじゃ うじゃ

おかあさんこれ本当に「はらぺこあおむし」なのお?

→子供に大人気の絵本

かりこり

ぱり

うんそうだようお友達だよう

だから早くこの袋に入れてよ

ぐっ

きしゃーー

ぶんぶんぶん

おかあさん怒ってるよう怒ってるよう

ぶん ぶん ぶん

大丈夫こんにちは言ってるだけだからこんにちはって

根性だせや息子

ぴよ

みどりのしるがでたよーー

それは薬

体にいいからつけときなさい

息子(四歳)は40匹ほどの青虫を袋につめてくれーー

ありがとー

おともだち飼うんだよね

むっちり

そのままドブに捨ててる私。

ばしゃー

お友達に何するのーー

およいでどっかいくの?

どこにも行かずくさる青虫それを毎日責められる日々

おかーさんむしくん茶色になってる

むーん

風景

前にミャンマーのお寺で出家。修業をさせてもらった事がある。

修業さぼって→寺散歩

寺の裏に大きなゴミ捨て沼があって、そこにいつもゴミひろいの父子がかよってくる。

とても尊敬されているので→お坊さんや尼さんには立ちどまって道をゆずる。

父親が下におりゴミをひろう。

息子は上でそれを待つ。

年は10歳くらいかじっと動かずに父親の仕事を見ている。

たくさんの修業やたくさんのありがたい言葉よりも

あの少年の動かない背中と空が忘れられない風景

おハギマン

息子はボール遊びが上手。ブロックが上手。
わあ上手上手
いろいろ上手。
パチパチ
かあさんほめてばっかじゃだめなんじゃない
あんたをねえけなしたらねえキリがないの
朝から晩までおこってなきゃいけないのお母さん自分のためにあんたをほめてんのわかった？わかったら返事しなさいよ
はあああい
ぎゅ
かあさんかあさん
かくれんぼのつもりらしいがドロまみれのドブにかくれるのはどうだ
へへへ
お
おはぎみたいにドロがついて上手上手
パチパチ
へへへへ
おハギマンの手をひいて帰る。
お砂場の時のカキフライマンの方がかっこいいよね
あーあん時もすごかったよねー
洗たく物は色・柄物で分けるのではなく、泥と泥でない物で分ける日々がこの頃よりはじまる。

にこにこ

いとこのだんなさんがなくなり急ぎ里帰り。
常に笑顔の人であったが55歳の若さでガンであった。

りえちゃん来てくれたのー いそがしいのにごめんねえー
何ゆってんのー 小さい頃からかわいがってもろたもんー

そらあかわいがったし世話もしたわあ
あんたのおしめ何回もかえて食事もさせて
あはは

おねえちゃんうしろみんな並んでるからアイサツ

遺影は娘の結婚式の時の写真。
病気がわかっていたので式を早めたとのこと。満面の笑顔。

結婚式の写真みてねー
うわあきれえやねえ
わあわあ
かわいらしいわあええわあ
あはは

いやあこの子りえちゃんそっくりー
思い出すわあー
あはは
あんたホンマにきかん子でねー

浜のじいやんが酔うて腰ぬかしちょるー
ちょっと何おしっこもらしてんやないの！
あの人いっつもああやからあれでええわ
はは は

泣いたり笑ったり。

兄嫁パートI

私の兄嫁は大変おとなしい人で、それは良い人柄と言うべきなのだけれど あまり静かであるとゆうのも考えもんかなと最近思う。

それは今から10年前 はじめての妊娠 そして陣痛

うーん うーん

※陣痛は何時間もかかるので自宅で待機する場合が多い。

いよいよ10分おき

さあ病院よー

ひーひーふー

おとうさーん

あまりに静かに苦しんでいたため、兄がうっかりだれて晩酌、しかも泥酔。

おとさん

ぐおおおお

ふひひー

深夜自家用車出発

ブー

10分おきに陣痛停車

ぐおお

ひーひーふー

お父様お酒めしていらっしゃるしお帰りになったら

酔うちょるから車運転できんわー

タクシーで

金もってないわー

何だメイワクなよっぱらい

↑医者

ひーひーふー

聞こえないあの声は他人

↑かんごふ

けっきょく待合室で泊まった。

はっ

お父様朝方お酒さめられたとかで車に乗ってお帰りに

子供みててよー

3200グラムで母子共に健康の――

兄嫁パートⅡ

私の義姉は
大変おとなしく
それがちょっと・
その2
2人目の出産は
帝王切開
「あれ まだ
右足が動くわ」
と言いそびれ
死ぬほど痛い
手術。
ぷす
いたーーい
麻酔がきいて
ないでーーす
無事元気な女の子出産。
さあ今日退院 そのまま
赤ちゃんと
実家へ
里帰り。
ババでちゅよー
かわいい
かわいい
じゃあ ここか
お父さん
えっ どこ行くの
ハワイ
孫のせわ
いややから
きっぱり
お母さん
ちょっとちょっと
お母さんが一緒に行って
ゆうからすまんな
行ってきまーす
あ、そうだ
おフロいれて
あげなきゃ
赤ちゃんフロ
あるわけ
ないわよねえ
傷痛いから
フロ場でかがめないし
えーと
ぱしゃ
娘の
初フロは
台所の
食器洗いの
タライ
いででぱしゃ
おなかいたーい
ちなみにこのマンガ
かいてよいかと
義姉にFAX
すると兄から
返事。
好きにかいて
かまんぞ
姉に言わせ
てやれよ
意見を

こそこそと
小さな話し声が
聞こえる。
ふりかえると
仕事場のドアの
下の 小さな
すき間から
二人の小さな
手が でている。

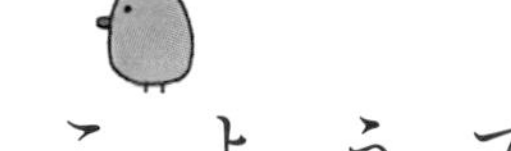

かっこようて

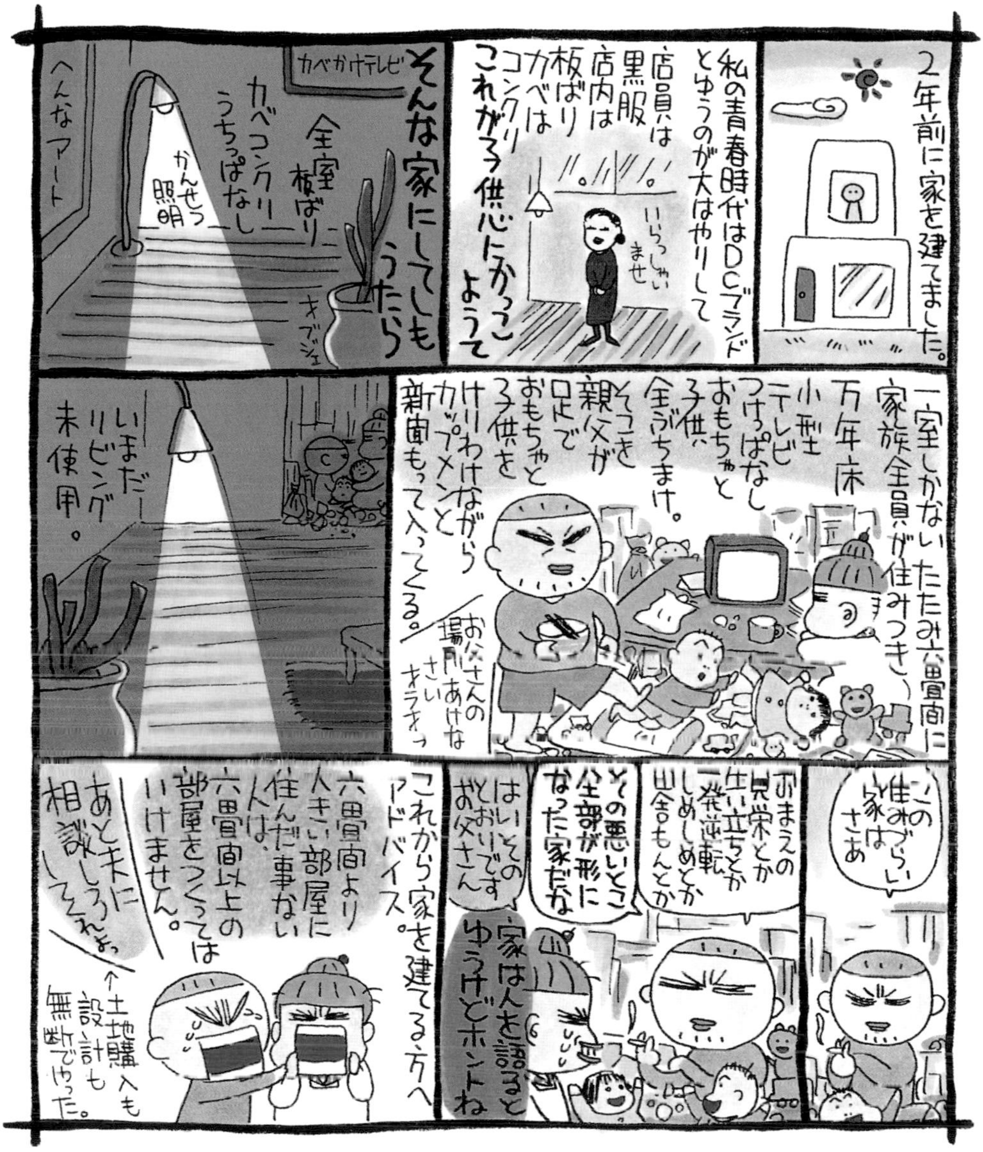

2年前に家を建てました。

私の青春時代はDCブランドとゆうのが大はやりして
店員は黒服
店内は板ばり
カベはコンクリ
これが子供心にかっこようて

いらっしゃいませ

そんな家にしてしもうたら

カベかけテレビ
全室板ばり
カベコンクリうちっぱなし
かんせつ照明
へんなアート
オブジェ

一室しかないたたみ六畳間に家族全員が住みつき、
万年床
小型テレビつけっぱなし
おもちゃと子供、全部ぶちまけ。
そこへ親父が足でおもちゃと子供をけりわけながらカップメンと新聞もって入ってくる。

お父さんの場所あけなさい
オラオっ

いまだリビング未使用。

この住みづらい家はさあ

おまえの見栄とか生い立ちとか一発逆転しめしめとか田舎もんとか

その悪いとこ全部が形になった家だな

はいそのとおりです お父さん

家は人を語るとゆうけどホントね

これから家を建てる方へアドバイス。
六畳間より大きい部屋に住んだ事ない人は、六畳間以上の部屋をつくってはいけません。

あと夫にも相談しろよそれ

↑土地購入も設計も無断でやった。

太陽にほえろ

10月末家族で熱海に行く。
ほら海だよー

わー
きゃあきゃあ
たたた
たた

わー
きゃあきゃあ
ばしゃばしゃ

わー
きゃあきゃあ
ゴボゴボ
バシャバシャ

私の子供は私が思っている以上にあほうでした。
うわっおぼれてるっおぼれてるっ

いいですかー水平線にむかって走ってってはいけませーーん
めっ
はーい

きゃあきゃあ
ゴボゴボ

海の上はあるけません
まきぞえ→
はーい

修行してもあるけません
忍者ゴッコマイブーム中→
ええっ

変身してもダメだーー
ええっ

思いっきり風邪ひかせました。
学習ポイント
うちの子は頭が良くなるか夏以外は海につれていかない。

だからね

四歳になる息子がどこでならってきたのか
なかよしのひろくんにねんがじょうかく
じゃあ最初に「ひろくんへ」ってかこうね
その年賀状にこの字をうつして
見本
ひろくんへ
よくみてね
ひろくんへ
これねお名前だからね全部かかないと「ひろくん」にならないの、ひとつずつ小さくかいて全部かいて
うん
ひ
「ひろくん」「ひろくん」ときぜんぶかくのわかった？ねえわかってる？
うん
ろ
おかあさん下書きしてあげたからこの線の上をなぞって
はーい
ひろくんへ
年賀状づくり中止
根気のない親ですいません。
ひろくんへ
ぐり

そもそもね

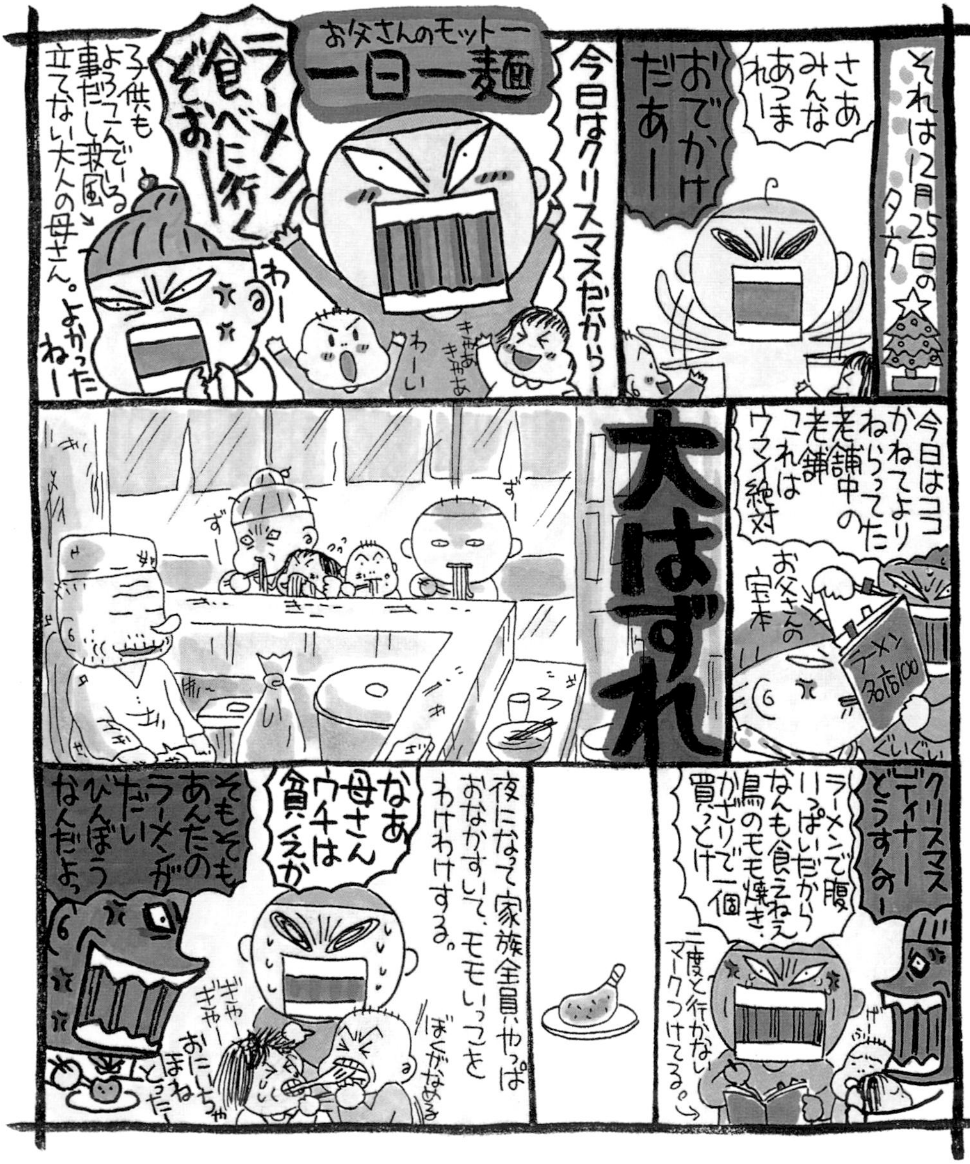

それは12月25日の☆夕方

さあみんなあつまれー

おでかけだあー

今日はクリスマスだから〜

お父さんのモットー 一日一麺

ラーメン食べに行くぞおー

わー

わーい

きゃあきゃあ

子供もよろこんでいる事だし波風立てない大人の母さん。よかったねー

今日はココかねてよりねらってた老舗中の老舗これはウマイ絶対

お父さんの宝本

ラーメン名店100

ぐいぐい

大はずれ

ずー

ずー

クリスマスディナーどうすんのー

ラーメンで腹いっぱいだからなんも食えねえ鳥のもも焼き、かざりで一個買っとけー

二度と行かないマークつけてる。

夜になって家族全員、やっぱおなかすいて、モモいっこをわけわけする。

なあ母さんウチは貧乏か

ぼくがなめる

ぎゃーぎゃー

おにいちゃ

ほねとったー

そもそもあんたのラーメンがだいびんぼうなんだよっ

びゅっ

大みそかからお年玉プレゼントの前を回遊する息子。
※お正月のお昼までさわっちゃダメと言ってある。
ぐる
ぐる
ぐるぐるぐる

あれは実はお前のプレゼントじゃない
お前のはコレだ手を出して
ちゃちゃちゃ

ゴマ塩

びゅ

今噴水みたく涙が目からふきだした…人は不意をつかれると涙がふきでるものなのか
なんかすげえおもしろかった
うそうそうそジョーダンごめんてば
うーうー

さて2歳になる娘はおままごとがとても上手
ちて
ちて
ちて

おとうさんはねてばかりでいけません
おしごとつかれてるのね

ずうっとかんびょうしてあげます
はやくよくなってね

びゅ

人は不意をつかれると涙が噴出するものらしい。
うおおおかわいかったぞおー
娘酒→

言わして

おじいちゃんは
リえこがおねえさんになったら死んでしまうの
死なんといてね

リえこがおねえさんになっても
死なんといてねえ

私の幼い頃の正月は本家に皆が集まり高知名物のさわち料理をかこんで大宴会
ぐずぐず
おじいちゃんは酔うと必ずこの話を親族全員に聞かせ一人で泣きはじめる。

毎年毎年必ず言う。
リえこがあー

大きくなった私はそれがもういいかげん恥ずかしくてたまらず、

おじいちゃんもう何回も言いゆうでやめてやあ
何回でも言いたいわや言わしてくれえ
どなり返されてしまった。

それからおじいちゃんはながいこと寝たきりになって

ボケボケにボケちゃってそれでもお見舞いに行くと
リえこがなあ死なんといててなあ
ぐずぐず
ボケていろんな言葉をなくしちゃったのにこの話だけはなくさないでいた。

大事にもっていってくれたんだなあと思う。

あーん

お正月のおせちをみると必ず思い出す話。
はいあーん
ぼくもぼくも

ゴボゴボ

はいしー
ちー

はいおしまい
たっちしま
ずる

先日私はデパートのトイレに娘を
ぼったり落としました。

が、去年の夏
くいっ

ぎゃーぎゃー
わあわあ
ジャーゴボゴボ

トイレの中に入ってあそぶなー
※フロの脱衣場にトイレをおいたのが敗因。
このようなムダイな遊びが子供らの間ではやっていたせいか

娘はわりかし平気だったので
あはは ごめんね
おちちゃったね
びっくりしたね

デパートの大きな暖房機の前でかわかしたら
ゴォン ゴォン
はいじっとしてて

けっこうちゃんとかわいたので

一日それで遊んで家に帰ったらやっぱりくさくておばあちゃんにしかられました。
何のためのお金ぞね その場で新品一式買うてあげんかね
なるほどその手があったか

うひゃひゃひゃひゃ

東京、井の頭の動物園。サル山にて「おじいちゃんの知恵袋」

私らが子供のころなんかねココでサル釣りしてあそびましたよー

ほらおさる

ヒモにおかしくくりつけてワザとやんないの。

やーい サール

そうするとサルのやつ怒っちゃってね

うんこなげてくんの、それがとなりの客なんかにあたってね

おんもしれえのなんの

ひゃーひゃっひゃ

はっはっ

そらあゆかいだ大変だ

おかあさんボクやる

サル釣り

パン

でね、パチンコでボスザルねらうんですよ。あたると下に落ちるんすけどね

ボスだからものすごい必死でまたすぐ山のてっぺんに登るの。

それをまた打つ

たまんねえのおもしろくってよ

うひゃひゃ

ボクもやる

パチンコかって

はっはっは えらいぞボスザル

係員にめっかって首がまわるほどはったおされてね、出入り禁止。だからココ60年ぶりなんですよ

動物園出禁じーさん指さして笑っちゃえっ

ははっ

この動物園もアタシも年とっちゃったなー

ははは

ここのバーさん象とアタシとどっちが先にくたばるかねー

サルにあたれー

ぼうず、母さんの言うことちゃんと聞いていい子になれよ

サルパチンコするー

お前がゆうな

かんろく

保育園に7人の子持ちのお母さんがいる。
でん
もう10年子供と園に通いっぱなし
父母会
なので
あっお母さんおはようございます
わら わら
どうも
新任の園長よりも古く園の主である。
エーワタシニホンゴワカラナイネー
あんたダンナ日本人でしょわかんないダメよっ
ちょっとあんたも日本五年目でしょいいかげんにしなさいっ
とにかくすっげえこわくて
フィリピン人母さんもタイ人母さんも逃げられない。
フクギチョーってナニポコー
フボカイってナニスルカー
わっわたしはヘタクソですが絵が少々かけますっ
あらそう、じゃお願い
先生っこのいそがしいのに何やってんですかっ
アシスタント愛ちゃん
父母会のバザーのカンバンー
愛ちゃん手伝ってー
いやですっ
誰ひとりプロの仕事と気づいてもらえなかった。
絵の具だって一流品使ったのにー
父母会バザー

「がんばって
ひらがなの
練習しようよ」
と言うと
「お母さんの絵も
力がないから
一緒にれんしゅう
しよう」
と言われた。

あっ

バスや電車に手を
ふる人は、

その乗りものにのっている、
何十人何百人の中のたった一人に
手をふってるんだろうなあ。

ぶんぶん　ぶんぶん
たのしそうに
ふってるよなあ。

わたしは
そのふってる人の顔を
みるのが好きなんだが、

なにせ乗りもの。
いつもあっとゆう間に
通りすぎて残念。

おらおら

うちのダンナの家は代々男しか生まれない家。
だから男なんか大嫌いだ
さて長男が小さいころ近所を散歩していると
こらこらこらっ
ううー
ベビーカーぬけだし名人
こういうのはねえ、はったおして覚えさせないとダメなのよー
ぱん
あたしなんかねえ年子で男4人よ。
男の子なんてねえバカ元気なだけでホント生み損よ
私、この7年間で午前中に顔洗ったこと一回もなかったのよ
ぎゅう
この人の家は町内でも有名で、道路にまで子供と子供部屋が延長。
カーテン、フスマ全滅 全員ボーズ、イモジャージ着用。
※父親も同じ。
以前昼ファミレスで全員をどつきながらオーダー。自分は生ビールジョッキ(大)をあおっていたお母さん。おつかれさま。
んっんっ
今日さーあの四人男年子の母さんと仲良しになってさー
あんな縁起の悪い家に近づくなー!
お前うつされたらどうするつもりだあ!
ダンナに本気で怒鳴られた。

一番いらねえ

今日は保育園の父母会の年一回のピクニック。

おひさしぶりです

どこのお父さんお母さんも仕事のあい間でフラフラ。

せっかくの休みなのに先生達も来て下さって、さあ、お楽しみゲームのはじまり。

わーわーわー

このゲームの順位でおもちゃのくじが引けるので子供達みんな大はりきり。

やったあ3番おもちゃ引く引く

よっしゃやったあっ

うわあここで10年一番いらねえ

小泉純一郎

かあさんコレ何

シシロー

ストラップ

ふとまわりを見渡すと

こんなのイヤー

かーさんおもちゃは一

いらなーい

シシローハンカチ

ストラップ

ちょきん箱

シシロー

シシローグッズ続々

すいません「子供パーティー用」って大きな袋に入ってて中身たしかめずに買ってしまって

あやまりまくる買い出し係お母さん

この早春の良き日に、お父さんお母さん達が、日程をあわせるためにどれだけ苦労したか。

すいません

コレどこで売ってました?

友達の共産党員のとこにセットで送っちゃえ

許すまじ自民党

精霊降臨

保育園に息子をむかえに行く。
かえろーよ
これ カメムシ
ゴミムシ
えーと フン コロガシ
ずかん

同級生がみな平仮名を読めてる。
バカづらしてんのうちの子だけじゃん
はいはい
どすどす
そこの
ぽっかん
ジュモク
ザメ

私は早期教育の精霊。あんたの息子が字が読めないのはどうしてだ
べ
私がさぼっているからだ
なぜさぼる
子供にこれ以上手えかけてたまるか

この日の夜 お父さん酔っぱらって帰ってくる。

ほーらおみやげー
お寿司だぞー
わーい おスシおスシ

へっへっへっ

お父さーんこれは何だー
おおお

へっへっへっ
ケンネル

お父さんお寿司と間違えて買ってきちゃったー
あとよろしく
てん

私は精霊 この上、犬など飼っては息子に字を教えるヒマがますますなくなりさらなるバカガキに
ごん

うるさい
泣きたいのはこっちだあー。

わるくない

娘二歳
ぐにゅぐにゅ
ちてちて
右手にあそんでいらなくなったダンゴひとつ。
とんとん
何っ
何ぞねこらっ
ぐい
ぐいぐい
ぐい
あっそーかそーかババにくれるかやさしい娘やねえっ
あきらかにバアさんきゴミ箱がわり
ぎゅうにゅー
牛乳かね
はいはい
しかもパシリ仕様
ばしゃー
こらあ何しゆぞあやまりなさいっ
わるく
ない
北朝鮮
ゾーキンもってどうしたの
おはさん↓
ちたちた
おてつだい
うおーかわいいぞおーちゅーさせろー
おそといくー
娘そのままお父さんと外出。バアさんが牛乳をふくんだ雑巾でパックをはじめだす。
もったいない。
人間の尊厳がないだろばあさん

ひそひそ

夕ぐれ野原で遊んでいると

お母さんが大きな声で
「ごはん――」って呼んだ。

あのねえ
晩ごはん今日
焼きそば
やからね。
みっともない
から
大きな声で
ゆうたら
いかんで。
お兄ちゃん
呼んで
きなさい。

うちの焼きそばは
インスタントのヤツに
野菜ちょこっと
入れただけので
私はそれが大好き

やったあ
やったあ
私は心の中で
言いながら
野原の
もっと奥で
あそんでる
お兄ちゃん
のところへ
走る。

私はちゃんと注意したのに
お兄ちゃんは

「やったあやったあ焼きソバやあ」
と大声でさけんで先に
走っていった。

いつか

東南アジアの街を歩いていると

よく、こんな白人家族を目にする。

たくさんの兄弟で一人だけ肌の色のちがう子

夫はいつも言う。

子供ってさあ もっとカンタンに

もらっちゃっても いーんだよなー

そんで時々 その国につれて行けばいいんだよ。

あなたは ココでうまれましたよ。って、

ぼくはカンボジアで たくさんの死体を みてきたから

カンボジア人の子供が一人、ほしいな。

私が「いいよ」と言うと彼が「ありがとう」と言った。

何年先になるかわからないけど その小さいちゃん 元気でごはん食べててね。

たえている後姿。
とゆうのをながめるのが好き。
左手にぬいぐるみ。
右手にはさみ。
フスマに小さな穴
あけちゃった。
ああもう少し指を入れ
たい。ああ入れたい。
おばあちゃんの口紅を
フタをはずして出したり
入れたり。

ドライバー片手に
ビデオデッキの中を
熱心にのぞきこむ息子。
ほぼ100％ゆうわくに負けて
私にどつかれる。

いぬ

ダンナが酔って買ってきた柴犬には説明書がついていて
(あとで気がついた)
子犬のうちは室内で外に出さないで下さい

ちたちた

犬は外だ
何を生意気な
おう 犬は雨の日でも雪の日でも外だよな
だめー
いれて いれて

常に新鮮な水を

植木鉢の水ばんばか飲んでんぞっ
飲め飲め ついでにボーフラも飲んでカルシウムとれ
べちょ べちょ

35年前の我が家のドッグフード
犬用ナベに昨日の残飯を全部入れて水を入れて煮こみます。
キムチも 魚のアラも 古くなったケーキも
ぐつぐつ

さあさましてどうぞ
わん

子犬用高級ドッグフード 5グラム単位で成長にあわせてお湯でゆるめて
いつから犬はこんなにえらくなりやがったんだー

説明書捨ててる
たー

血統書が入ってたので捨てる
犬は犬だろがっ

今んとこ酔ったおやじのヒザに座るのが仕事。
犬晩酌
な～

めし

朝おきたら

夫がドッグフード食ってた

ばり

ばり

こらおっさんこら

日本の犬はらからこんなお犬様にっ

なんだコレ コンゴで食った国連の難民食よりうめえじゃないかっ

あのゴム長ぐつをはいた少年兵は、どこからさらわれてきた子なんだろうか。

こちらに銃口を向けながらドロ水のようなかゆをすすってた

ボスニアでぼくを遊び半分で殺そうとしたあのちいさな子は

くすくす

何年難民めしを食ってたんだろう。

日本人は今日から全員米食わないでドッグフード食ってろー

朝からあああもうこのんこうなったら一日中止まんないのよ

ばりばり

ほんとだおいしいわ

ばりぼり

な

つきあって犬飯食ってキゲン直す。

べっちょり

春先の小さないやなもの３本立て。

わー わーきゃー

どたどた

その① 両手にキャップをはずした油性サインペンをにぎってとなりの部屋からとび出してくる二人。

わー わー

ぎゃー ぎゃー

どたどた どたどた

何っ何かいてたの？

てん

きず

天気図

その② アイスはいどーぞ

10分後

わー わー

ぎゃー

どたどたどた

アイスはあー

なくしたー

よりにもよって和室のしきっぱなしのフトンの上でアイスが全とけ。

わるいのかー しきっぱなしの私がわるいのかー

べっちょり

その③ 翌日 花見帰り泥酔中のお父さんと子供、犬。ひるね。

じょろ じょろ じょろろ

だから誰の寝しょうべんなんだー！

オレじゃないと思ーう。

あたしじゃない

ぼくじゃない

ぐへー

さて私は雨の日であろうが風の日であろうが
たとえインフルエンザ高熱の日であろうが
コッコッコッ コッコッ
毎晩酒を飲まないと一日が終わらないタイプで、またその習慣だけはかかした事がなく
子供ができおかあちゃんとなってからは
ガソリン入れてーよー
立ち飲み
どしたの～かーしゃん
昼酒はさすがにあきらめ。
晩酌もむずかしくなり、
夕めしからやってたら子供フロ入れてて気絶しそうになった。
しかも子供が私と一緒に布団に入らなければ意地でも眠らない。
夜中2時だろうが3時だろうが
まってるよ
布団に入ったら絶対絵本を読んであげないとなっとくせず
今日はこれとこれ
いっぱいよんで～
辞典はやめて～
でもおかあちゃんは酔っぱらいたい。
その結果
布団 絵本 酒
そしてスーホの白い馬は
ごぶごぶごぶごぶ
また私が酒になかなか強く生でやるため
ぐりとぐらのカステラは鼻をつく芋焼酎のかおり。
はらぺこあおむしはむせっけえる大吟醸
おいしいケーキがやけました～
ぐへー
洗いたてのシーツと大好きなぬいぐるみ寝室はおかあちゃんが「やっぱつまみも」と言ってもち込んだイカゲソで
ぐへー
今晩もすっごい安居酒屋のかおり。

台所

娘は1歳になるかならないかのうちから、おままごとがとても好きで、

庭で小さな台所をいじってるそのうしろ姿を私はいつだって思い出せる。

あたし保育園行くの？

そう泣かない？

泣かないっだってお姉さんだもんお注射したって泣かないもん

2歳の娘を保育園に入れることにした。

何度も言いきかせたせいか、最初から泣かずに通わせられた。

ある日の保母さんの話。

娘は4時半のおむかえがはじまると戸があくたびにそこに行き自分のお母さんじゃないたびに、

自分でティッシュをとって

自分で涙をふいて

自分でゴミ箱に入れて

またおままごとをはじめるのだそうだ。

今日ね泣かなかった。

だってお姉さんだしお注射したって泣かないもん

あの小さな台所にはもうがまんが入っているんだなあ。

うみのさかな

小学校の友人の中でも
五本の指に入る貧乏な
家の子で
その
あんまりな
顔で
ごんずいと呼ばれている子がいた。
気の毒というか笑うというか
お母さんと弟も全く同じ顔で
※ごんずい 海の魚。
彼の家は
学校の
通学路に
あり、彼の
お母さんは
そこで
小さな
洋裁屋をやっていて
つくろい
小学生はそこを通るたび
こちらをむいてミシンをふむ、
ごんずい
母ちゃんの
顔を
みて
わらった。
ごんずい君は
けっこうな
泣き虫で
泣くと顔が
すごく変に
なるので私達は
それもよく笑った。
大人になって彼はびっくりする
ようなキレイで気立てのいい娘と
つきあって、
よかった
なー
もーだれも
笑わない
ぞー
ええん
ついに結婚までしてしまった。
結婚式では
花嫁より
ごんずい君と
ごんずい母が
泣きっぱなしで
またみんなが
それを見て
笑っていた。
こないだ
赤ちゃんが
できて、
おくさん
似の
かわいい
女の子で
写真館でちゃんと写したんだ
から、いくらでも
表情を直せただ
ろうに、
やっぱり彼だけ泣いていた。

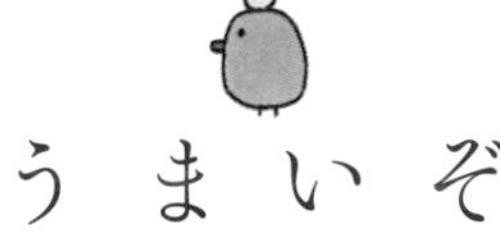

うまいぞ

娘がうまれ、毎晩娘酒をしている夫に私の兄が、先輩として言った。

ぼくのむすめ ぼくのむすめ〜

鴨君 娘は上手いぞ 気をつけろ。

娘もうすぐ3歳

夜中

どしたの おしっこ

おとしゃんが かぜひくの しんぱいの しんぱい

ぐおぐ〜

ぐぅっおっおっおっ

声をおし殺して泣いている。

たしかに上手い

先日 メリーゴーランドにのった。

音楽にのって動き出す、古くて大きなメリーゴーランド。

娘はこちらをみると一番の笑顔でわらい〜

せつない音楽と共に去って行く娘。なごりおしそうにうしろをふり返りついに見えなくなる。

次に現れてはまた一番の笑顔でわらい そして見えなくなる。

三周目以降になるとメリーゴーランドにのっている娘に手をふるおやじが全員泣きだしている。

そうやってわらってくれてー

いつかいなくなるー

どこの娘も上手くやっているようだ。

流行

保育園で子供達が自分の体にラクガキするのがはやり

そんな事しちゃダメよと言いつつ、誰がこんな事はやらしたのかしら？と保母さん。

子供達のラクガキをよくみたら四角いワクにかこまれ

何かをしゃべっているふう。

もしやと思い、一人の園児をよび

おなかをみてみると

そこには明らかに大人の手による四コママンガがかかれており

それで今回のこの事件の発信源はこの園児の母親の、

この絵はもしや

まあ足の裏にまでキャラクターが

まんが家のしわざであるとゆうことが瞬時にバレ

帰り特別に保母さんに

困ります

こうゆうの

ほかの子が

わー

わー

わー

しかられた。

保育園の息子のクラスメート。ひこくん。
男前でかしこくスポーツばっちり
しかもケンカは強いが弱い子にはやさしい。
保育園一の人気者である。
しかも自分のことはてきぱきと一人でできる
うわ何だ
すげえ
おひるねフトンのシーツかえ全員お母さんがやってるのに、彼だけ何年か前から自分でできる。
お母さん達のウワサのまとである。
いーなーウチの子ととりかえたーい
この時点でこんだけ差つけられるとさー100%親のセキニンじゃんどーせ私がわるいのよー
わかったあのコダブリだよ
しっかりしすぎてるもん。
実はものすごい背の低い小学6年生なんじゃないっ？

さて、ある日のこと
保育園でバザー。
はいはい
はいこのおもちゃ100円欲しいひとー
はーい
はい
ボクも
じゃあみんなでじゃんけんだー
子供達はおもちゃのたたき売りに夢中。
うっうっうっ
えっえっ
何？どしたの
おも
ちゃー
じゃんけんぜんぶ負けておもちゃいっこも買えなかったよおおおー
ひーん
おもちゃーほしかったよーおもちゃー
そりゃあ仕方ないよ負けちゃったんだもん
じゃあぼく一個買えたから
これあげるよ

ボクさ、家に帰ったらおもちゃが3個あるんだよ
その3つが気に入ってるから これいらないよ だからこれあげるょ
キミはさあ、もうこんなとこいないでスイスかどっか留学して、この国を動かす人間にでもなってくれよ。
もしか次のダライラマなんじゃないあんた
ありがとー
こらっ もらうな 場の空気を読めっこらあっ
えーおもちゃ買えなかったから泣いてるんだー
あら西原さんこんにちは
クラスメートちーくん
助け舟登場
ボクはこんなに買えたから

じゃあね
助け船退場
分けるんじゃないのかーフツーこーゆーときはー
ごんっ
場の空気読めよっ
おかしゃん うんこー
もれちゃう もれちゃうよう
わかった わかった
いい 絶対に もらっちゃ ダメだよ
トイレから帰ったら おもちゃもらってる息子。
しかもひこくん気を きかして帰っちゃってるし。

あのさー ひこくんホントは そのおもちゃ欲しかったハズ だよ
そんな大切なの もらったんだ からさー
キミも 大切なおもちゃ ひとつ お返しに あげようね
うんっ うんっ そうする
これー
あきらかに いらんおもちゃじゃ ないかあー
えー そーかなー これは けっこー いけるか なーって
じゃあ これ
もっと いらん もんじゃない かあー
あのさあ お返しなんか いいよ
6歳児に 気くばられる 39歳の 春
かかか
おまえのせいで おまえの

どとーの保育園/終

両手が
ふさがると
なぜか、
子供を
どっかに おき忘れる。

受けた

保育園には連絡帳とゆうものがある。
かき かき
園であったこと、家庭であったことを連絡しあう。
おかあさんは漫画家であるので当然絵を入れる。
かき かき
お母さんの連絡帳いつもイラストがあるので職員室でみんなでみてますよ
読者がついたからには
ギャグを入れる
毎日ぼうや
コマ
あ、いつもみてまーす楽しいです
よそのクラスの保母さん
受けたからには
さらにおもしろくしなければ
おかあさーんチコクしちゃう
リコー
リコー
ちょっとまってオチがあまいからやり直すからっ
最近では
おかーさーん
あることないことかきはじめ
ボクゆで卵のみこんだりしてないよー
だってお母さんお笑いまんが家なんだもの
まんが家ワンポイント
ギャグネタがきれはじめたらストーリーを動かしてのりきりましょう。
園児大河ドラマ漫画連載中
ひーんつづかないよーもうやめたいよー
おくれるよーはやくー

じいちゃん

私は高知の小さな漁村で祖父母にかわいがられ育った。
おじいちゃんは漁師で小さな船にのっている。
漁のない日は浜できれいな石をひろう内職をする。
夫婦で一日中とって1千円くらい。
ある日おじいちゃんがここで金色の立派な腕時計を拾った。
「こらあ大したもんじゃ街で買うたらなんぼするかもわからん。」
じいちゃんおおよろこび
この日からおじいちゃんは右手に自前の。左手に拾たの。両腕に腕時計をしていた。
おじいちゃん腕時計とくしたねえ
「おおそうじゃろうおお」この話をするとおじいちゃんは大よろこびになってお酒も進む
私はたいくつな子供のお膳からとびだしておじいちゃんのひざに。
おじいちゃんのひざからみた大人のお膳は全てがしょう油で味付けされた茶色のけしきで
おじいちゃんは酒臭くて機械油と海のにおいがして私はそれが好きだった。

精霊の逆襲

息子、ついに年長組になりさすがにあせる私。
これは「あ」あいうえおの「あ」覚えた？
うん
じゃあこの字は？
う
これは「あっ」あんた今覚えたっつったろっ
うん
じゃあこれは
よ

早期教育の精霊との会議。
あんたさーもう今さらさーめちゃくちゃ後期じゃん？
わかってるよんなこたぁ
どーしてもっと早くからやんなかったワケ？
間違えるたんび息子の頭もぎたくなんだよっ良好な親子関係のためになまけたんだよ
でどーすんの
こっちが聞きてえよ
バックレしちゃえ

道路白線から落ちたらワニの海
でおちた
ああ
いましめに1分間生ゴミに変身している。
かあしゃんかあしゃん
あいうえおかけた。
娘、三歳にして文字覚える。
早期教育成功っ

娘のたたかい

朝おきたら

んげ〜

娘が柴の飼い犬 桃にかっぷしと食いつかれており

かかへ

ん〜げ〜

はて、この二人はものすごく仲良しであるのになぜこのような……

んーげ〜

二人はごはんの時は特に仲良し

ぼろ ぼろ ぼろ

でもこの型は仲良しと言うより

ぼろ ぼろ

テーブルの下で大口あけて落ちるすべての食料をのがさじ

アブラ虫とアリの関係に似ている。

それ以外だとお医者さんごっことか

きゅーきゅーしゃくるまで動いたらダメ

トイレットペーパー

おままごととか、

おのこしはダメー

おもちゃ食べさせられてる。

ぐいぐい

プロレスとか……

犬と幼児のバックドロップ同時につぶれる。

けっこう桃ちゃん娘にひどい目にあってるなあとふと気づき……

ん〜げげ〜

自分がされてイヤなことは桃ちゃんにもしないの。わかった？

どーせ「甘かみ」だしと説教してたら

かかか

めっ

ガ〜ラ〜

二日間ほど娘の顔がブラックジャックになっていた。

いろいろありすぎ

夫が家出して2カ月前くらいからいません。

ひゅっぽー

保母さんとの連絡帳は—

母、タイ・ラオス国境で、漁師をするので2週間祖母が送ります。

子供が今、どのような

魚とれねーよ

家庭環境にあるのか

おかーさんテレビ

ああ

夫発見 パレスチナで投石してるCNNにちらりと写りました。

正確にハアクしてもらうため いってきます

いってらっしゃい

母、キャバレー勤め2週間の予定。多少生活すさみます。

正直にかいていたら

夫、沖縄で吐血

あの…いろいろ大変でしょうが

お子さんのためにも規則正しい毎日を

一番出来そうもない事を注意されてしまったので

お母さんの手作りケーキでピクニックてのはどう?

ヤダーつまんないー

これからは連絡帳は全部ウソを書こうかと思案中

精霊のつっこみ

ねえぼく字をおぼえたいよ

お勉強する

息子にやる気が

お母さん来たよっ今だよ今、教えるんだよっ

まいおりる早期教育の精霊

あ

あ

じゃあこれは

け

うちの子はできないけどやる気のある子。

チョコ買ってあげるから勉強やめよー

いやだ勉強するー

これは

て

ミニカー買ってあげるからやめよー

ねえお母さん「し」に点々がついたら「む」って読むんだよねっ

わかったプールびらきしてあげる

やったープールプール

時期の早すぎるプールで息子に風邪をひかせる。

できないのに

け

やる気だけはある子のやる気をつぶしてしまいました。

ただのおやじか

ぼくねえ あこちゃんと けっこんするんだ

あこちゃんて 保育園の？

うん あこちゃんも ぼくとけっこんしてくれるって

でもね

でも？

あこちゃんが ゆうんだ。けっこんすると人って かわるんだって

精霊降臨

あきらかに もてあそばれていますな。

自分の名前も かけないくせに 何悩んでんだか

わしも そう思う。

おかーさん 今日ねー 今日ねー

あこちゃんが ボクにシール くれたよー ないしょでー

シールが 微妙に ばったもん。

つかいかけ

今日お弁当ね おかずわけて くれたよー

あきらかに きらいな もの。

にんじん グリーンピース しいたけ

ま 若いうちに モテた男ってのは 将来ロクなもんに なんないからさ

いいんじゃない ホンロウされ 慣れた方が

男の早期 教育ってか

かっはっはっ

いいか 女ってのは追えば 逃げるんだ 距離をたもて 左ワキえぐり込むように

新キャラ登場

ぼくらはみんないきている〜♪

てのひら たいよに

お前にでたか

すかしてみ

ぎゅっ

保育園の時おゆうぎの写真。私だけリズムそのものがない！

小学生のころより音楽の時間まじめにやっているのに「ふざけてる」と、よく注意される。

中高6年間フォークダンスのリズムがむずかしすぎ一回も踊りきれなかった。

私の兄などはもっとヒサンで保育園からの仲良しグループが高校で全員バンドをはじめ16歳で一生の友達を作り直し。

矢沢永吉を一人でれんしゅう

涙する兄

うちの母ももっとひどいが祖母はこの世に音楽があることを知らなかった。

うたうなーもういいから

そう我が家はおんちの名門血統書一族。

ちょっと知りあいショーカイするわ

こんにちは♪情操教育の精霊でっす♪

お母さんオンチは遺伝じゃないよ

じゃかじゃか

環境

おんなじことやっ

ぴし

だからうつってる

うわあっ

てえのひらあ

て〜え〜の〜お

？ ？

しゅき

娘はしかると「えーんえーん」とは泣かず
めっ
おか
おかしゃん
おかーしゃんだいすきー
しゅきー
と泣く
上手いなあもう。
しゅきーだいしゅきー
夜のおはなしの時间
犬は何てなくの?
わんわん
ねこさんは
にゃーにゃー
おかーさんは?
おかーさんは
おとーしゃんだいすきってなくのー
夫現在別居中。
おとーしゃんは
おかーしゃんだいすきってなくのー
わけ入ってもわけ入っても青い山
オチは?
大失敗
自分でも先のみえねえことかいちまったよ

「このピンクどうかしら？」
「これなんかステキよ
いつも着られるし」
「買っちゃいましょうよ」
娘をデパートにつれて
行くと必ず60代がらみの
買い物好きの
おばちゃんの霊が
降臨してくる。
「どこの誰だ」

なんかコーフン

テレビをみている息子
はなれてみなさいー
ぼー
口がさみしいらしい
手をかみはじめる
かし
がし
なんかコーフンしてくる
両手をつっこみはじめる。
がし
がし
げぽっ
おかーさんボク病気だよおー
げぼが出ちゃったよおー
うえええん
病気じゃないおまえがバカなだけったただそれだけ
またテレビをみているまた口がさみしい。
ぼー
きし
きし
かし
きし
ビー玉
はき出せコラぁ
ぼだぼだぼだぼだ
んげ゛ー。
妹
あんたバカだお母さんもうイヤだぁっ
ぼー
ぎゃーぎゃー
かしかし
歯がかゆいのやないかねえ?
仔犬?
現在テレビの前には息子専用しゃもじをおいている。
ぼー
かしかし
かし

精霊のダメ押し

おかたづけしなさい

母はおかたづけが大嫌いなので息子にかわりに絶対覚えてもらいたいなあしつけ

電車はおもちゃ箱
大事な物は宝物箱
オラオラ

私がやってたまるもんか

おかたづけー

ぱんぱーん

親ができない事は子もできない

さて息子の今のマイブームはだんご虫とり。

いっぱいとれた

おかーさんケータイ電話かしてー

ばら
ばらばら

がっしゃん

何

今のはなにー

おかたづけー

ケータイ電話って虫かごに似てるでしょ

わかったお前の頭につまってんのはおがクズだろっ

耳から出せっほらっオガクズッ

ぶぃん

ぶぃん

いやーまだまだ

先は長いよ

メール

月がとてもきれいだったのでメールをだした。
月がとてもきれいですよ。同じ月をみましょう。
残念ながらむこうはくもりでみられないそうだ。
娘とみる
ばななのわらってるかたちー
息子とみる
たべかけのすいかー
それから三人で花火して
さいごにまた月をみた。
月がとてもきれいですよ。
夏の月をいっしょにみましょう。

ためいき

別居中の夫にあいに家族で沖縄へ。

おとーしゃーん

だいきらい

ぴよっ

だいしゅき

ぐうふふ
へっへっおっおっ

んしょ んしょ

ぐいぐい

ぐい

ぐっ

うぐうぐ

沖縄の空は蒼くすすまぬリコン話

こどもの時間

息子は ミニカー あそびが 大好き である。

うー

ぶぅうー

うー

ぶうー

うー

一時間でも二時間でも遊ぶ。

よく見ると ミニカーの霊が 降臨してきていて

目は うつろ 口から よだれ泡

ぶうー

わうううう

ううう

ミニカーになっている。

わうわうわうわう

わうわうわう

先日、えらい出てこないなと 思ったらトイレ中に突然 パトカーの霊が降臨していた。

わーうー

わうわう

わうわう

わうわうわうわう

わうわうわう

わうわうわう

夏の日 公園で子供達が 滑車で遊んでいる。

しゃー

ただすべりおりるだけの遊び

しゃー

おわったらまた行列に並ぶ

時間たち二時間たち

全員どうしようもなく 疲労しているのであるが

つらいけど すべります

何でボクら すべってんのかな

わかんない だって おすべりだもの

全員に滑車の霊が降臨 していて誰一人やめられない

続こどもの時間

保育園にむかえにいく
かえるよー

女の子はおひめさまやおままごと。育て分けたワケでもなく自然と遊びが分かれている。

園庭のすみに3〜4人ほど毎日必ずドロの中にすべり込んで
コーフンして日本語でなくなってる
んえー
あぎゃぎゃぎゃ
カキフライになっているお子達アリ

毎日毎日どこのバカかと思えばウチのバカで
我が子のこのムジャキな姿で一日の疲れ、どっと出ます。

年中、年少さんにまでバカにされ
おげ
がん
男の子ってやーね
ほんとねー

帰るよ
おおおお

帰るよおっおお
お
コーフンのあまりおしっこもらし
じゃあああ

おきがえすんだ?
うんっ
もうっ
何で一秒でバレるウソつくかねあんたは。

おしっこもらすくらい楽しいなんて

こどもの時間ってすごいなあ。

精霊まだいたか

我が家にプレゼントとどく。

わー なーに なに!?

電動九九マシーン

おかーさーん 九九ってさー おしえてー

無理っ 3歳と5歳の字も読めない子供に

そりゃそうだ お母さん字も読めない子供に

ぱんぱん

七の段から上を覚えてない母親が、どーやって九九を教えろってゆうのよっ

ついに来たよ ずっと知ってるフリしてたのに。

うわあ あんたんとこやっぱ親の因果が子に報いじゃないっ

おかーさーん 九九 おしえてー

ぱっしん

うるせえ

ブー

6×7=41

きちんとマスターしているマもりの六の段以下も三割くらい間違えて覚えていた。

しくしく

ブー

公文式の精霊つれてきたよ

はいドリル やろうドリル わかんないとこまで さかのぼろう。

人間基礎だよ

ドリル

うるさい帰ってくれ!!

かるい

秋雨がふっているなか入院中の元夫にあいにゆく。

またお酒飲んだんだ

このあんぽんたんが…

かあしゃ

もうお母さんじゃないっ

いちどはなした手はもいちどにぎると、かるい。

もう行っていいっ

なんで?

はずかしいからっ

もうねっお酒やめるからねっ

うそつけっ

すきだったひとをきらいになるのはむつかしいなあ。

日のあたる海

夫は最初
あった時から
酒乱だった。
私は
日のよくあたる
風のよく通る
海で育ったので
人とゆうのはもっと
かんたんだと思っていた。

でも彼の気持ちは
高いビルから下を
みるように深く
こわいものだらけで
お酒を飲んでは
こちらをふりかえり
どんどんと
沖の方へ行ってしまう。
この间三回目の吐血をして
病院にはこばれ
脱走。
こういう根拠のない
判断力と行動力は
ハンパじゃない。

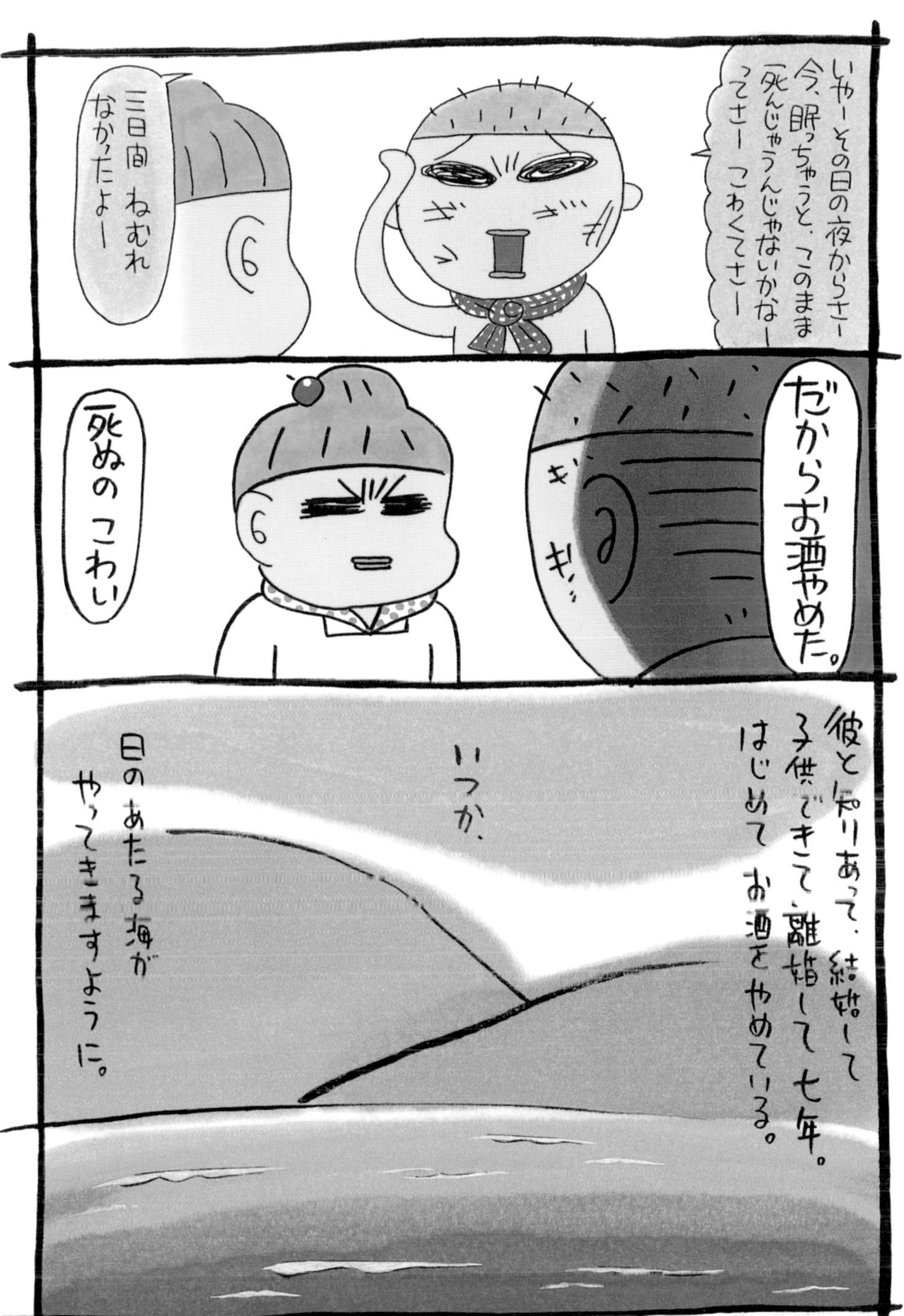
いやーその日の夜からさー
今、眠っちゃうと、このまま
死んじゃうんじゃないかなー
ってさー こわくてさー
三日間 ねむれ
なかったよー
ギ ギ
だからお酒やめた。
ギ ギ
死ぬの こわい
彼と知りあって、結婚して
子供できて、離婚して七年。
はじめて お酒をやめている。
いつか、
日のあたる海が
やってきますように。

日のあたる海/終

月に2回くらい
あっている。
今回うまれてはじめて
人生の半分、毎日飲ん
でた酒をやめた。
ま、信用してないけどね。
「四十にして惑わず」
まだまだ全体的に
迷子ちゃんだと思う。
このひとは

ぷーちゃんぴーちゃん

娘に
ちいさな
お人形を
三つ買う。

にゃむちゃん
ぷーちゃん
ぴーちゃん

気に入ってくれて どこへ
行くのも一緒。

ちてちてちて

んゲ

どしたのお～

その人形を
すぐなくす
毎日。

ぴーちゃんが
いない
い～～

子供の
しつけは
子供の
目線に
あわせて。
などの
たわ言の
とおり、
子供の
なくしものは
子供の目線で。

ばっ

きょろ
きょろ

たた

ほらね

娘
床上70cm以下の
わずかなすき間に
モノをおしこみ
楽しむクセあり。

ぷーちゃん
いなーい

んゲー

にしても
次から次へと
お人形をなくす。

あ

ぽん

みぎの
おててに
お人形
ひとつ。
ひだりの
おててに
もうひとつ。

手いっぱい!

のこりの
ひとつが
もてない。

かくす

五分後
忘れる。

にゃむちゃんが
いな～い

んぎー

しあわせも人形も
自分の手に持てる範囲で

兄妹

お母さんはテツヤあけであるが

おわったー

ガチャ

今日は日よう日である。

おかーさん あそぼー 公園いこー 野球しよー

一日中ふりまわされる。

まてまてー

つぎはかくれんぼねー

あーきょうはつまんなかった

ご

お母さんほんとは家で寝てたかったのに一緒に遊んだのに何でそんなひどいことゆうの

あーつまんない

おかあさん怒ってるからつまんない

いーよボクがおこられてんだからいいよ

おかあさん怒ったらダメ お兄ちゃん怒ったらダメ

いつのまにかちゃんと兄妹になっていた。

ゆめ

ねえ大きくなったら何になりたい?
思ったらなれるの?
いっしょうけんめいすればなれる事もあるよ。
おかあさんボク何になりたいか決めたよっ
コンビニのアルバイト
君の夢は必ずかなうよ。
それもかなり近い将来
わたしはねえ公太郎
きゃー
ネズミにはなれません。
おかーさんの夢は?
おかーさんの夢はかなったの。まんが家になることだったから。
あの子供のころおいのりしたどこの誰とも知らないあてずっぽうの神様。
ありがとうございます。

なぜ

なぜそんな事をするの

武蔵野市大学病院耳鼻科

ぎゃあぁぁんげえええ

やあぁ

はい何とかとれました。

ボク約束してね。二度と耳に豆を入れちゃだめよ

泣…

なぜそんな事をするの

ちがうよ耳に豆をおいたら勝手に入っちゃったんだよ

電車にのる。

ガタン ゴトン

ふと下を見ると電車の床に寝っころがり、妹の乳母車の車輪をかんでいた。

ガタン

ゴトン

かしかし

「なぜそんな事をするの」とゆう言葉が、もう出てこない。

なんかすごくたのしそうだし

かしかし

ざく

庭をほじって半身うまってあそんでる。先日の保育園の芋ほりの復習ではないかと思われる。

ガー

んガー

もうあてはまる言葉さえみつからない

がー

おにいちゃんはばかだねえ

そう それ。お母さんはそれが言いたかったの。

ぽん

じごく谷

子供のコロの話

近所に じごく谷 とゆう ところが あって、

ギャー

もちろん出る 出まくる。

私達子供は 毎日が きもだめし。

出たよお〜

たすけてえ〜

まって〜

毎回大泣き。

コロんで けっこうな ケガをした 子供がでて、

たたると大評判

みたよ〜 出た〜

猫妖怪だった〜

象のバケモンだったよ〜

小学校全部が 大ブームケガ人続出

親が見かねて PTAに 話が行き

会報

地獄谷について

町内の回覧板になって 地域中にまわる さわぎとなり

地獄谷 禁止

最後 道ばたで 車にひかれた ヘビ、犬猫 なんぞを、

自分の勇気を誇示したい 年長さんの男の子が

てえい ワシも 来年は 中学じゃい

それを投げ込む男場になり

私の兄だけがずっと本当の事を知っていた。

あそこはなあ、治国谷とゆうて 昔、えらい 君主様が 住んじょった 場所ぞ

それを町内中の バカが字も よめん

えらいこと

私の義父は、昔、私のためによく粉を練ってくれた。
だいぶ前に死んでしまったのでもう顔も思い出せないのだが、そんな、してくれた事は、よく思い出す。
基本は砂糖と粉のみ。フライパンでホットケーキ。油であげてドーナツ。おなべでむして蒸しパン。みそ汁に入れてすいとん。おいしかったなあ。
もう うっとり
先日 作ってみたら えらいこと まずい。
かわいがってもらったから
だいすきだったから おいしかったんだろうなあ。
おかしゃんのことすき？
だいしゅきー
じゃっこれ食べてー
ぱく
おいしくなーい
そうか まだ母の愛が足りぬか。
じゃー一緒に焼こうか。
ホラ聞いてごらん。焼ける音がしてるよ
うんっ
じゅー
息子 耳 やける。
じゅっ
まじゅーい
いたーい
いたーい
思い出が心にあちこちに痛い日であった。

カニ母

ばりばり
がぶがぶ

深夜である。
…
ずるー

お母さんズルイ またかくれて一人でカニたべてるー
見つかってしもうたかあー

でもあげないっ カニだけはあげないっ カニはお母さんのものっ ミソは私だけのものっ

わけてよ
いやっ
おかーしゃん自分だけはいけないよー
自分だけなのっ

あんた子供に何でそんな意地悪ゆうぞね
えーん
えーん
先日ささいな事で子供を泣かしおばあちゃんに深夜説教くらう。

新聞のちらし
ちょきっ

お母さんの好きなカニ切ってあげたよ
おかーしゃんテレビでカニうつってるよ一緒にみよう
うんうん
ありがと
なのにそんな母を許し私のためにいろいろしてくれるけなげな二人。

お母さんあのね もう絶対かくれてカニ食べたりしないでね。
うん約束

などとハナから守る気なしのカニ母であった。
もったいない
こんなうまいもん何で子供に
ばり
ばり

夜は絵本のあと
お話になるのだが、
なにぶん母親の性分が
アレで、今大人気シリーズ
なのは、
二人がお使いに行って途中
ワニにたべられました。
お母さんが助けに行ったら
二人は道ばたでワニの
うんこになっていました。
「これはくさいぞ。
うんこ兄妹の
だいぼうけん
ぶりぶり
」

かいじゅう

年末である。大いそがしである。

じゃあ お母さん 今からまだ お仕事するから今晩は おばあちゃんと あそんでね

えええええ

お母さーん お仕事しちゃ いやだぁー

おしごと だめえー やめてー

お仕事は大事ぞね お仕事がないなったら お米も買えんなって おもちゃも買えんなるぞねっ

おかしも 食べれんぞね

住む家も ないなるぞね

外で寝んと いかんなったら どうするぞね

ああああああああ

外で雨に ぬれて 夜になって カラスに 食べられ たらどう するぞね

うあああ いいいい

あんたの 人生の辛酸は わかったから そこまで 子供に言うなよ。

おかしじゃん おしごと しないでー

おしごとは だいじ なんだよっ

ごはんが なくなって おそとに すむんだよっ

思いっきり すり込まれてるし。

めっ

うんうん

ひーん

そいで お家が つぶされ ちゃってー

おかしが ぜんぶたべ られちゃうー

ああああ

ああ

キャラクター化 されてるし。

おかしを とっていく。 家をこわす。 クチから カラスが出る。 うんこする。

びんぼうかいじゅう

連チャン

年末である。大いそがしである。

おかあさんいそがしいの？

うんおおいそがし。

おしごといっぱい

じゃあボクらは熱でも出そうかな

子供は絶対、自分で発熱できると思う。

この年末のいっそがしい時に。

おかーさんメロンたべたーい

おかしゃんジュースあと絵本よんでー

そしてそれは信頼率120%で

このいそがしい時にすまんねークスリこうてきといてーあとおかゆー

ばあさんに連チャン

一週間仕事と看病にあけくれ

バタバタしてたら食欲わいて

もりもり食ってたら

体重ふえて血行良くなって健康になる自分がキライ。

ごちそうさん

まいどー

ガーン

やつれたりとかしてみたい。

早朝五時の39歳の背脂超こってりラーメン屋台ののれんをくぐりつつ思う。

家族絵

公園を散歩していたら若い絵かきが、絵を売っていた。

3人家族なんだけど

描いてくれる？

一ケ月後かわいい家族絵がとどく。

手をはなしてしまったり

もういちどつよくにぎったり。

かいたり

あるいたり

食べたり

何度うまれかわっても

おかあちゃんがいいや。

餃子

各種記念
シート 切手 格安
N. HO. Oゲージ